U0065111

陽光又要落下
我收集的詩
已經寫好
請你
把在孩子前
的爭吵怒吼
不耐煩
帶走

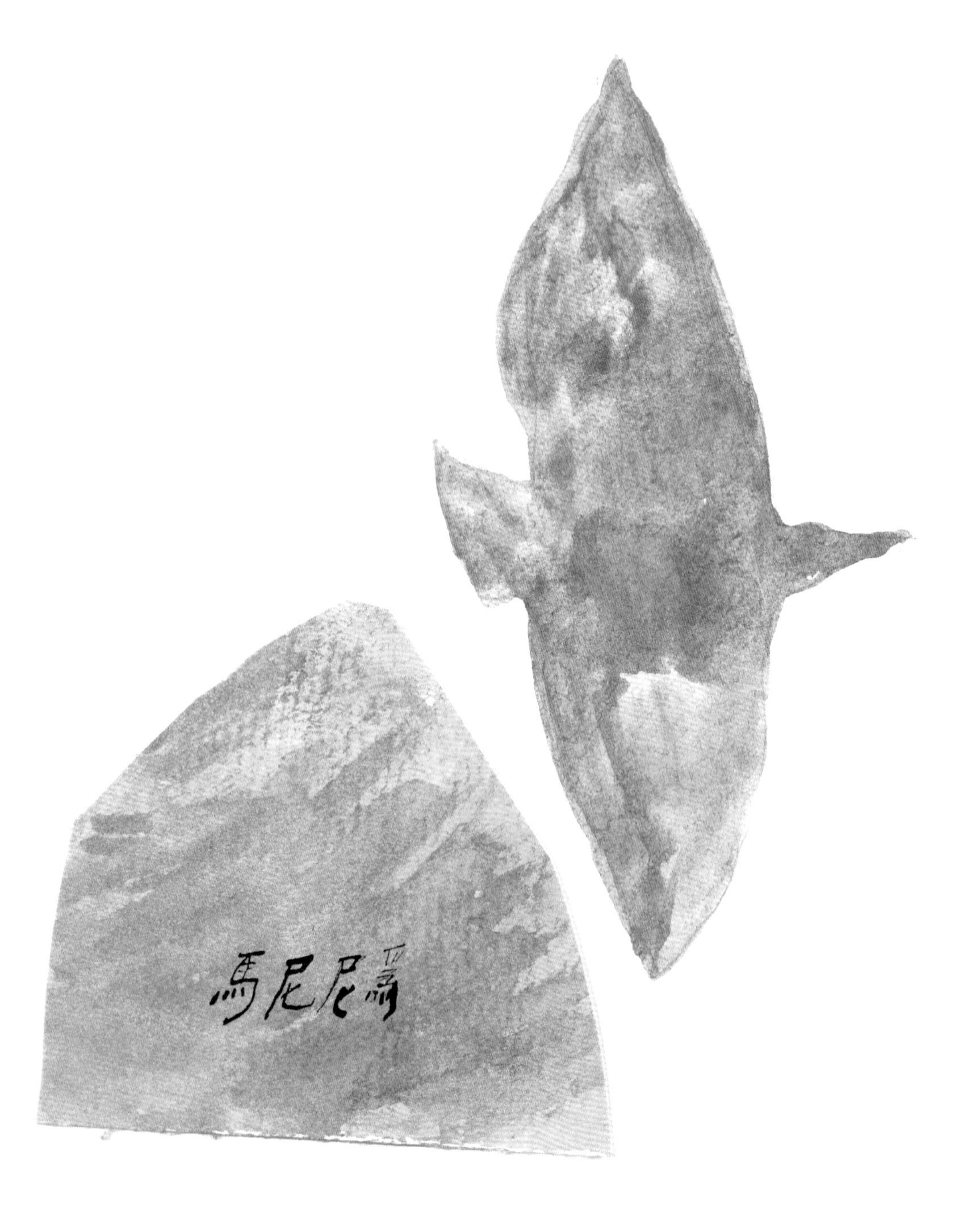
馬尼尼為

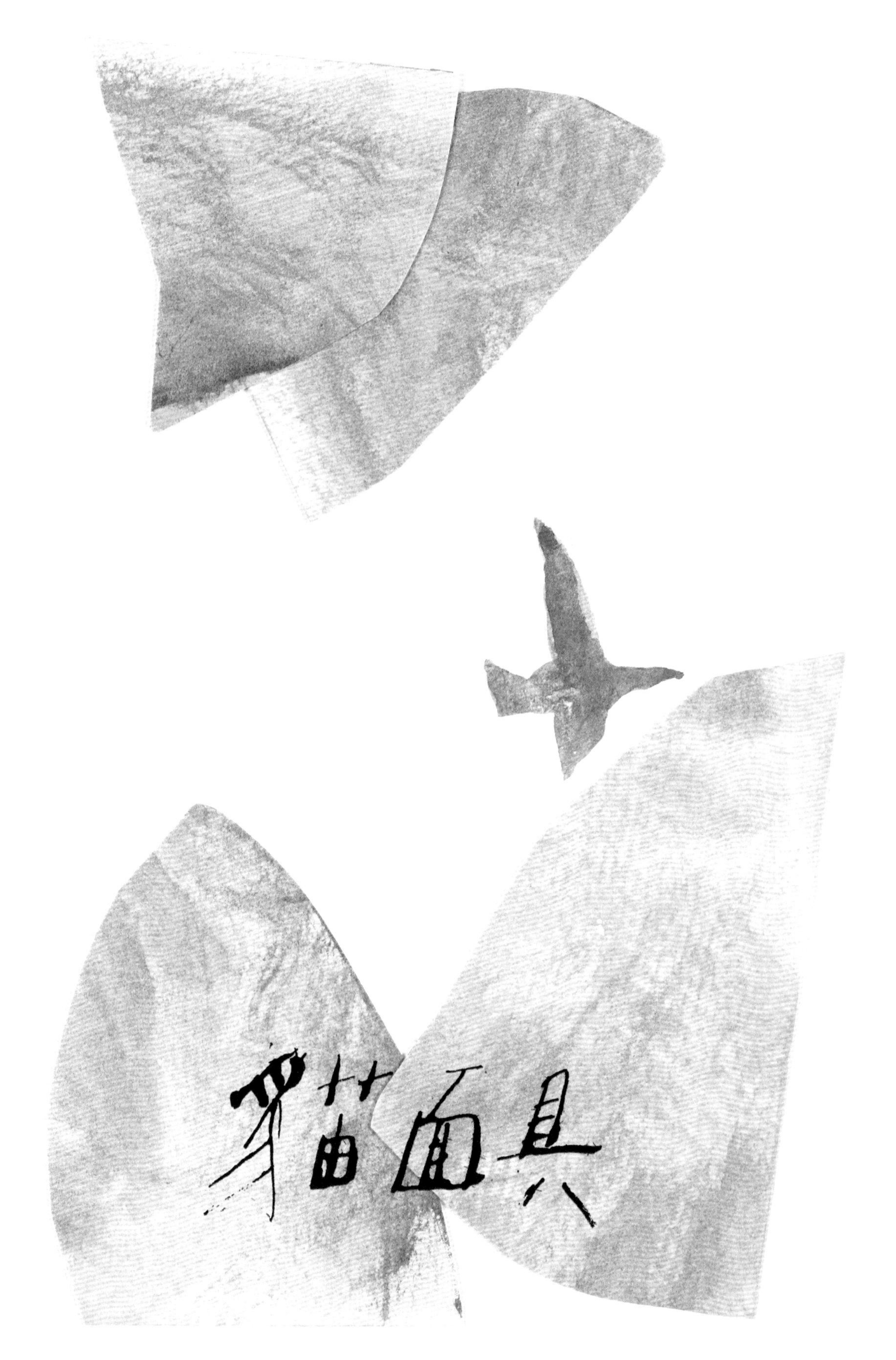
貓面具

這是一張貓面具，

從我小時候它就掛在客廳。

你要問為什麼嗎？

它把一切都看在眼裡，

所以故事要以它為開始。

我出生的時候，寶兒就在這個家裡了。

她，是我的姐姐。

姐姐教我跳舞。

教我寫詩。

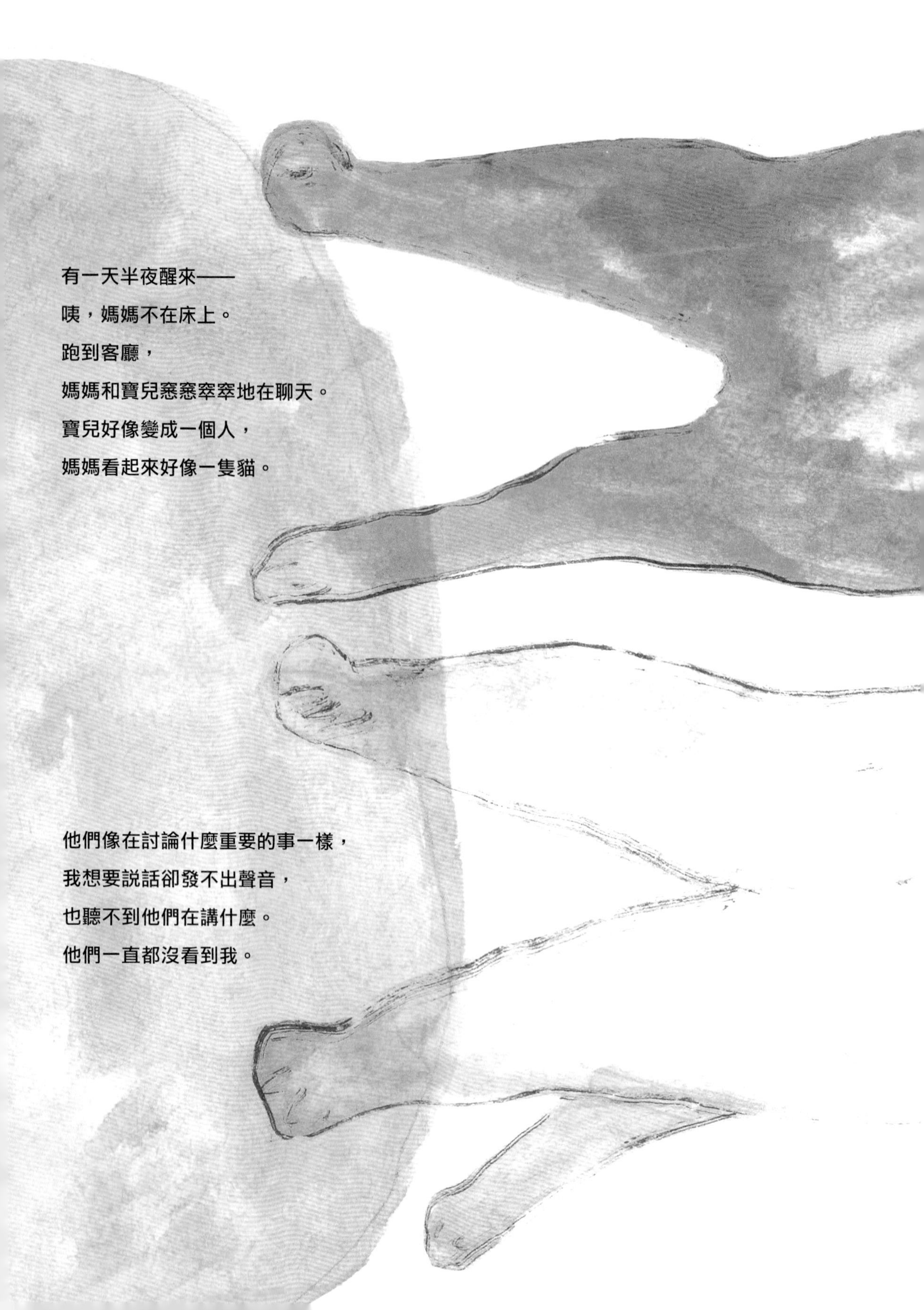

有一天半夜醒來——

咦，媽媽不在床上。

跑到客廳，

媽媽和寶兒窸窸窣窣地在聊天。

寶兒好像變成一個人，

媽媽看起來好像一隻貓。

他們像在討論什麼重要的事一樣，

我想要說話卻發不出聲音，

也聽不到他們在講什麼。

他們一直都沒看到我。

起床囉，阿部！

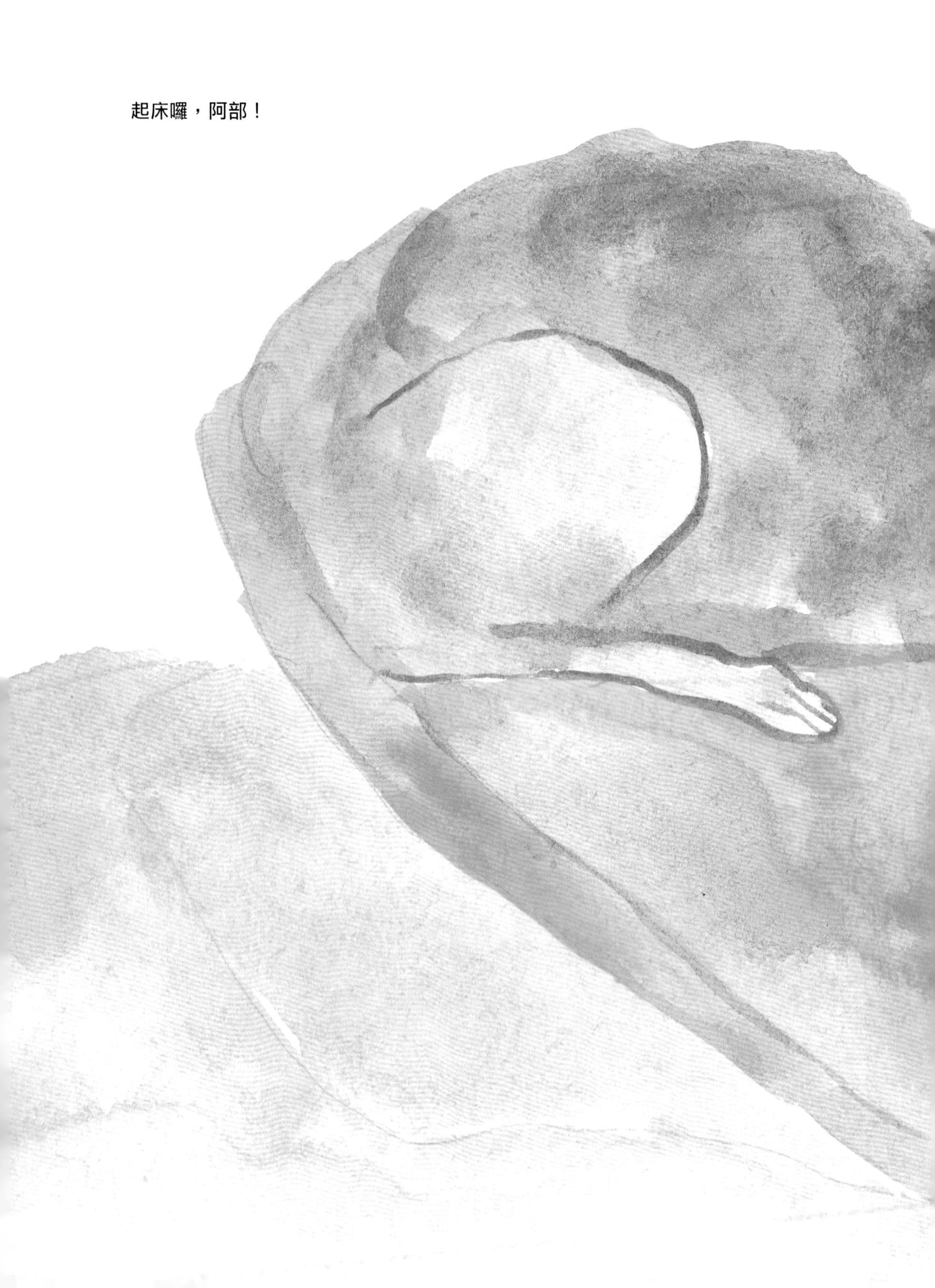

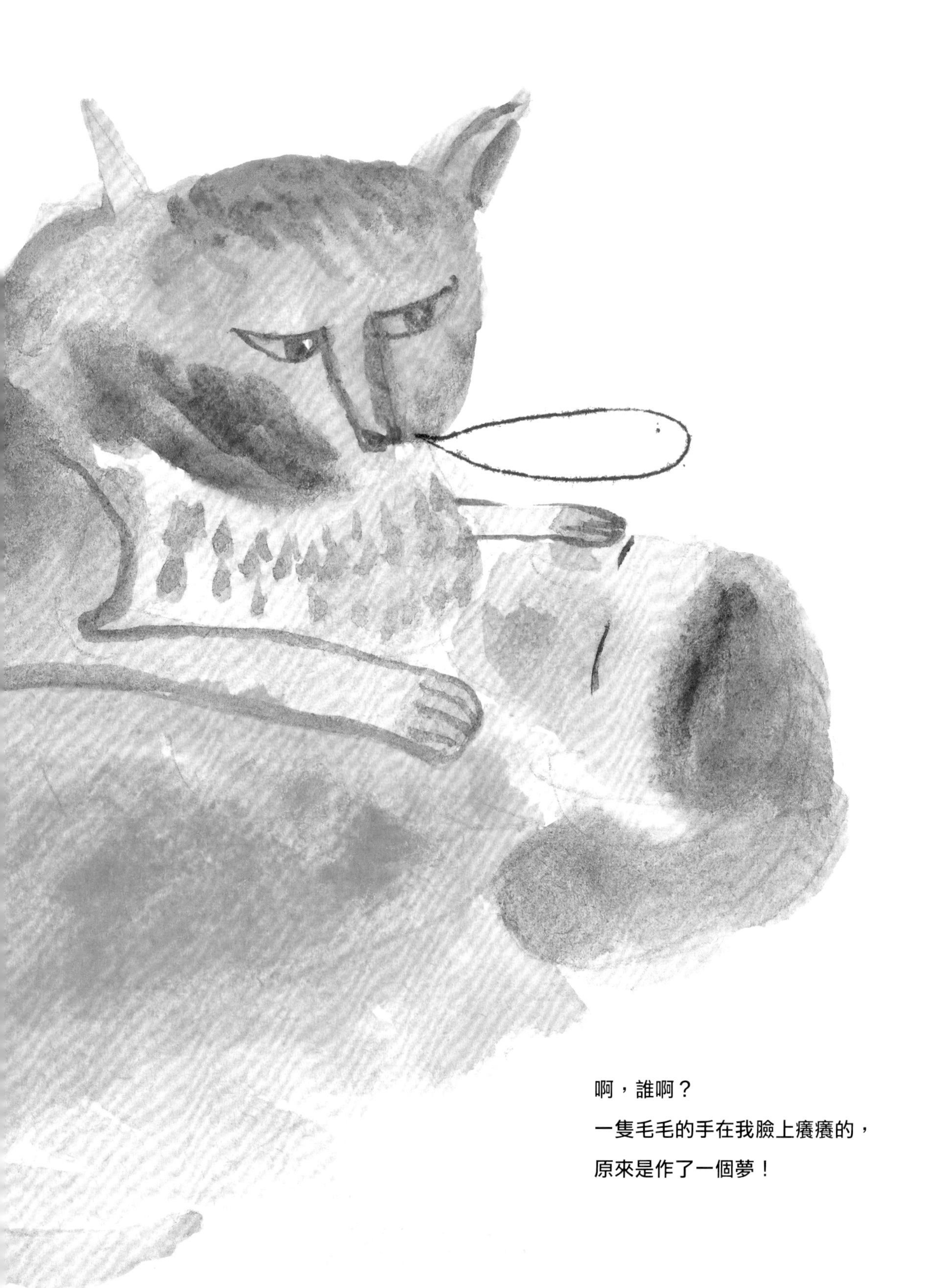

啊，誰啊？

一隻毛毛的手在我臉上癢癢的，

原來是作了一個夢！

我沒有看到爸爸，

媽媽看起來很開心地在看書。

「爸爸去越南出差了，
要很久才會回來。」

那天晚上，我又作了一個奇怪的夢。

夢見爸爸變成了一隻豬，

媽媽借來一個大籠子，

和寶兒一起抬到外面。

我偷偷地跟著他們走到了公園，

爬上旁邊的小山，走到一處平地時，

「你在外面可以過得很好，去吧！」

媽媽把籠子打開，

變成豬的爸爸一溜就不見了。

我想去追爸爸，但爸爸實在溜得太快了，

而且樹林裡黑漆漆的有點嚇人。

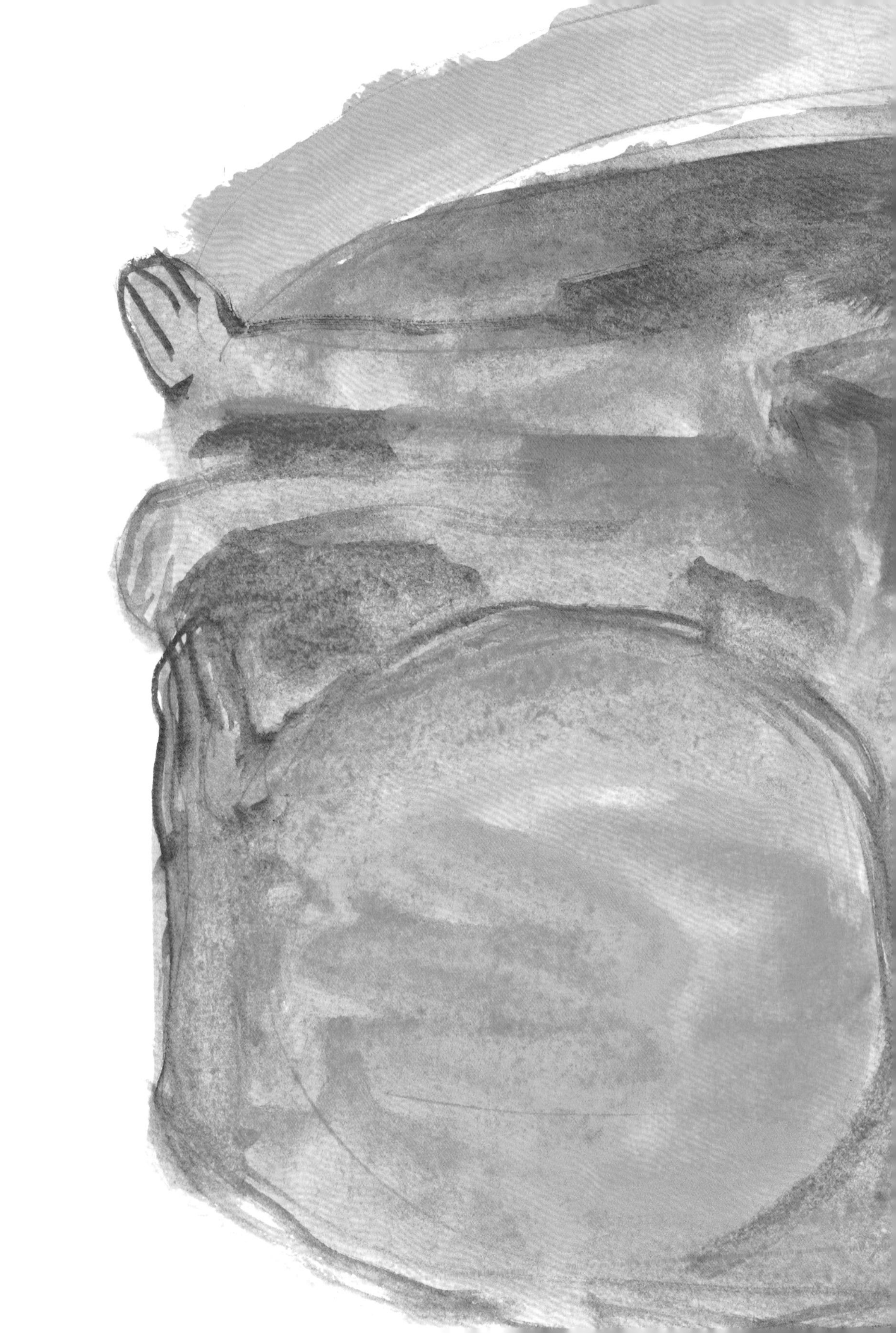

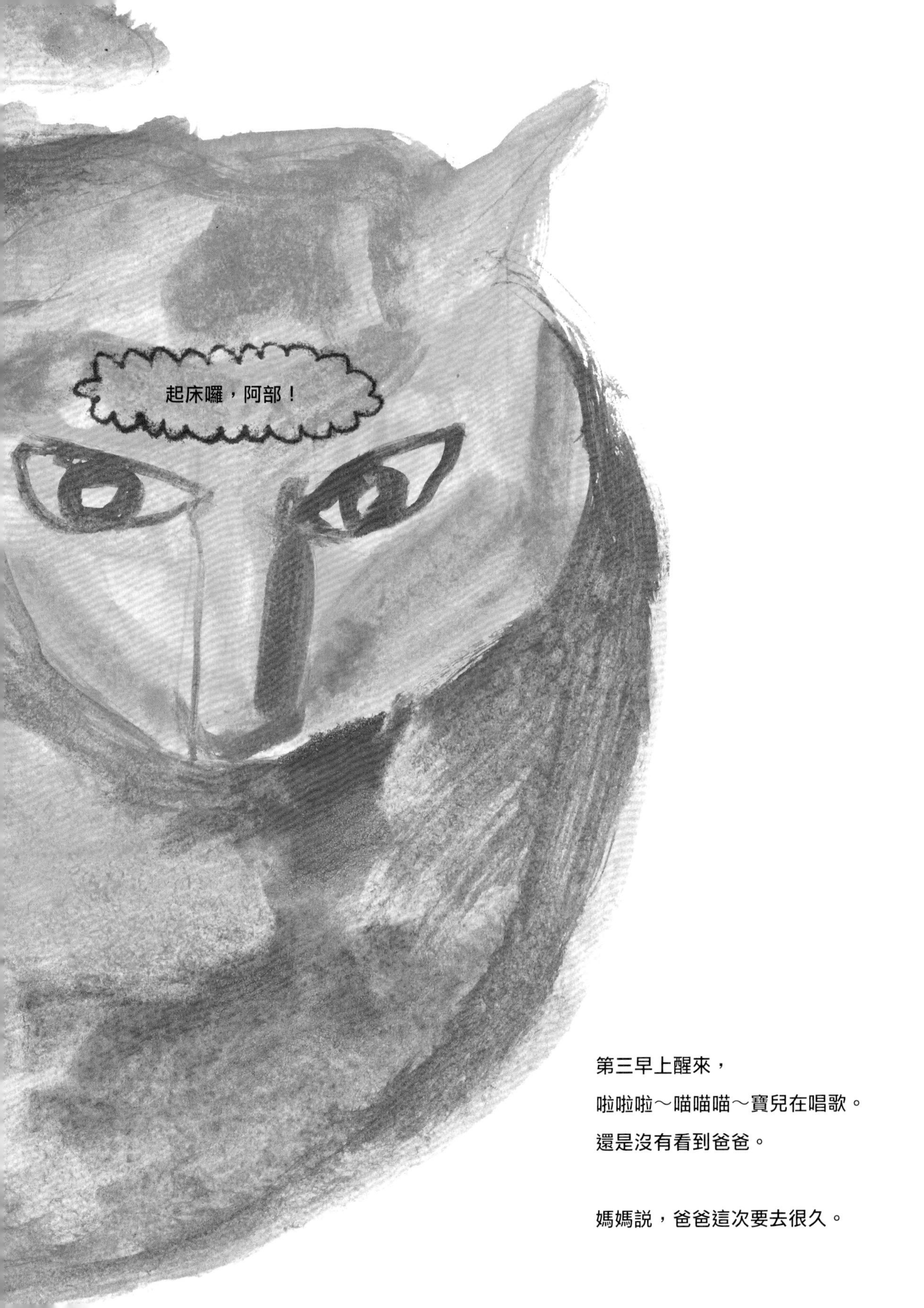

第三早上醒來，

啦啦啦～喵喵喵～寶兒在唱歌。

還是沒有看到爸爸。

媽媽說，爸爸這次要去很久。

這天晚上，我夢見爸爸騎一台腳踏車回來了。

但是他變得好小好小，小到比寶兒還小，
小到媽媽根本看不見他，小到他講話大家都聽不到，
媽媽還一直不小心要踩到他。

連吃飯都沒有他的份，

我自己拿了一個小小的玩具碗裝飯給他。

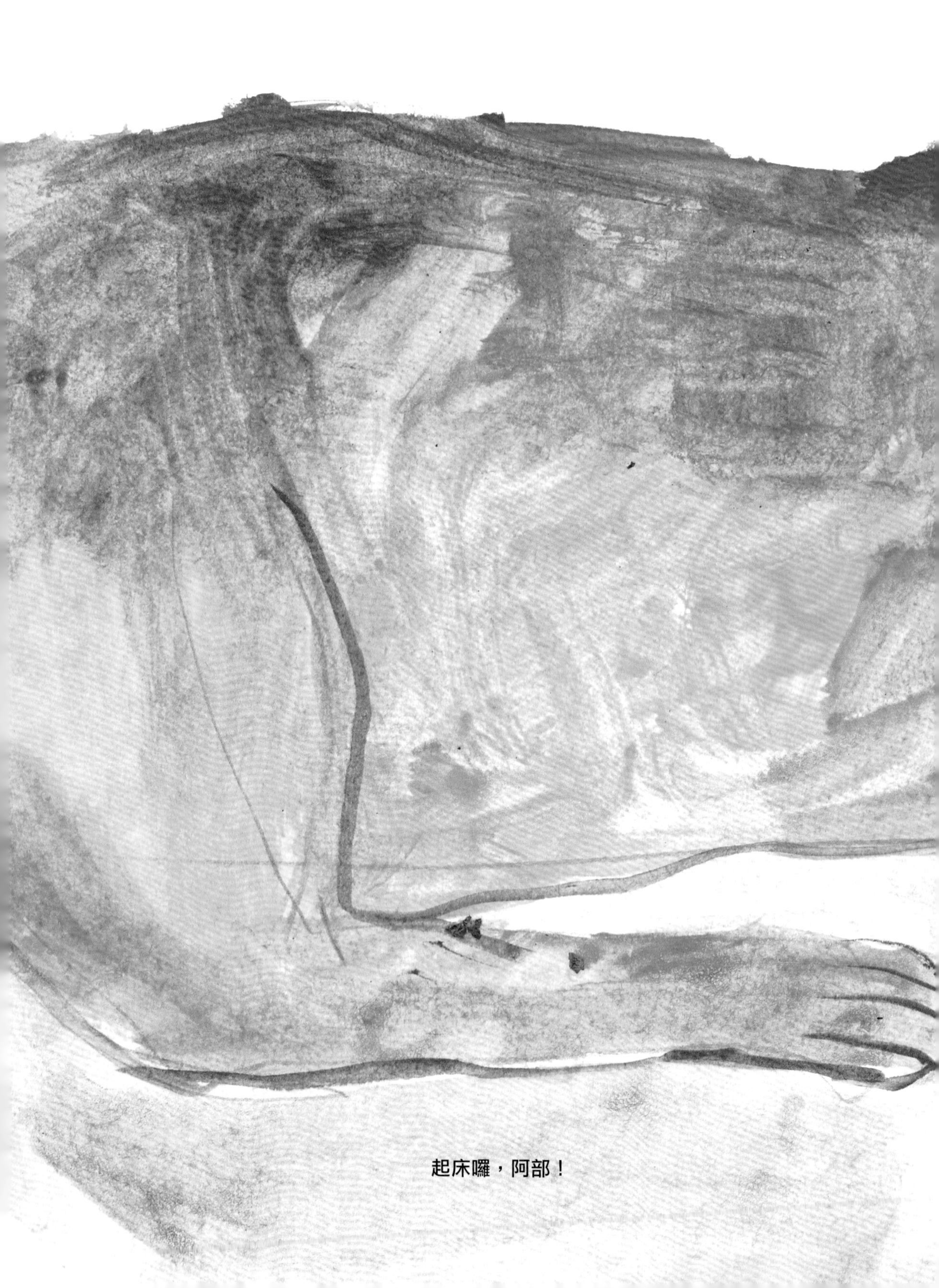

起床囉，阿部！

（寶兒，爸爸還是沒有回來對不對？）

第四天晚上，寶兒載著爸爸回來了。

但是，爸爸還是很小很小，比我還要小，沒辦法抱我。

爸爸很想要抱我，他要我跟媽媽說，

他以後不會罵她、也不會什麼事都怪她。

我聽不太懂，我只想要爸爸帶我去公園玩，買車車給我。

爸爸已經很久沒帶我出去玩了，

已經很久沒有陪我玩車車了。

我越來越不喜歡這個爸爸了，

好像已經不是爸爸了。

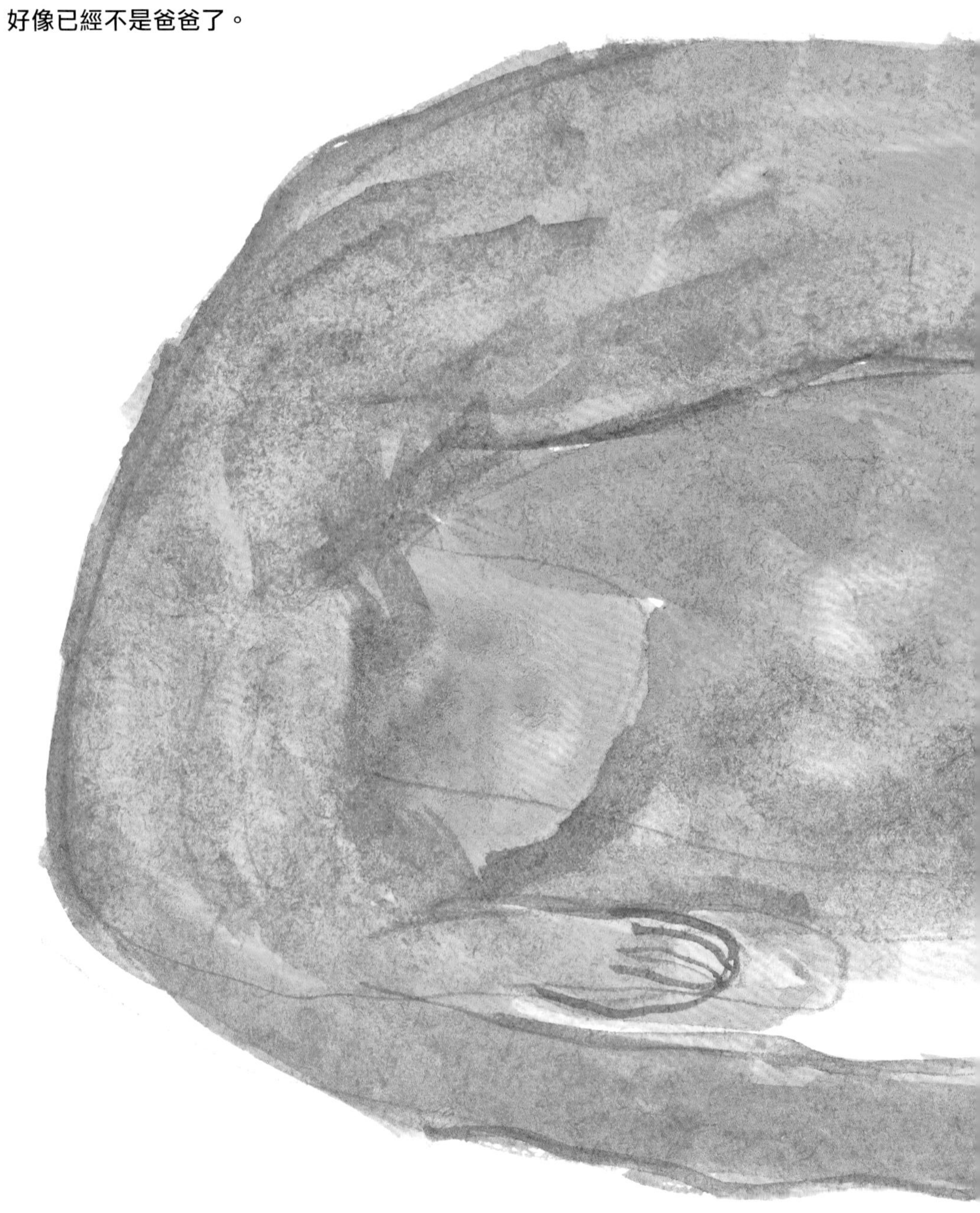

起床囉，阿部！

「寶兒，爸爸回來了嗎？
媽媽呢？」

「阿部，這個給你！」

爸爸把貓面具脫下來把我抱了起來，原來爸爸戴了貓面具。

爸爸說，如果他跟媽媽吵架的話，我可以戴上貓面具。

因為貓不會說話，牠只是靜靜地陪伴。

我聽不是很懂，但爸爸變回真正的爸爸了。

後來，爸爸和媽媽有沒有再吵架我也不太記得了，

但我很喜歡玩這個面具，

當你戴上面具，

還真不知道是在哭還是笑呢！

陽光開始刺眼
我朝門走去
推開一條縫
請你一定要把
在孩子前的
動怒取不耐煩
帶走

貓面具 復刻珍藏版

作者／繪者　馬尼尼為
媒材　水彩於黃素描紙

編輯　廖書逸
設計　張家榕
發行人　林聖修

出版　啟明出版事業股份有限公司
地址　台北市敦化南路二段 59 號 5 樓
電話　02-2708-8351
傳真　03-516-7251
網站　www.chimingpublishing.tw
服務信箱　service@chimingpublishing.tw

法律顧問　北辰著作權事務所
印刷　漾格科技股份有限公司

總經銷　紅螞蟻圖書有限公司
地址　台北市內湖區舊宗路二段 121 巷 19 號
電話　02-2795-3656
傳真　02-2795-4100

初版　2019 年 5 月
ISBN　978-986-97592-0-5
定價　NT$400　HK$110

財團法人國家文化藝術基金會補助

《貓面具》是我自印的第一本繪本（2015 年），當時的印刷成本有限，因此只印少量，用簡單的騎馬釘、平裝、合版印刷；作品翻拍方式、電腦處理技術也相較不足。這次的新版本版面由橫式調整為直式，開本變大；除了重新以高解析度翻拍圖稿，並將部份畫面順序做了調整外，排版設計、紙張、印刷品質也都較當年的版本更為優質。

作者介紹｜馬尼尼為 maniniwei

美術系卻反感美術系。停滯十年後重拾創作。

著散文《沒有大路》、詩集《我和那個叫貓的少年睡過了》、繪本《詩人旅館》等數冊。

作品入選台灣年度詩選、散文選。另也寫繪本專欄文逾百篇。偶開成人創作課。

獲國藝會視覺藝術、文學補助數次。目前苟生台北。育一子二貓。

「請不要問這是給大人還是小孩看的，繪本沒有界限。」